LA NATURE
au fil des mois

ISBN : 2-07-051493-5
© Éditions Gallimard Jeunesse, 1997
Numéro d'édition : 82627
Loi n° 49-956 du 16 juillet 1949
sur les publications destinées à la jeunesse
Dépôt légal : septembre 1997
Imprimé en Italie par Editoriale Libraria

LA NATURE
au fil des mois

Un livre
conçu et réalisé
par René Mettler

Gallimard Jeunesse

LES SAISONS

Pourquoi y a-t-il des saisons?

Pourquoi la nature change-t-elle?

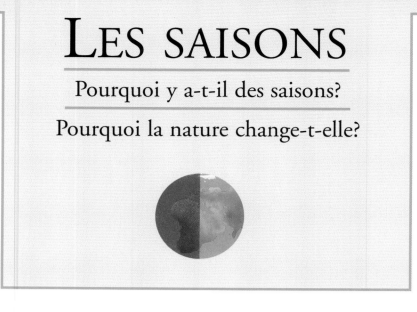

L'axe de rotation de la terre n'est pas vertical, mais **incliné.**
C'est pourquoi la **durée** et la force d'**ensoleillement**
varient tout au long de l'année.

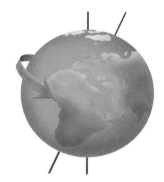

La Terre tourne autour d'un axe incliné à 23° 26'.

Dans nos régions, les **périodes** de **chaud** et de **froid alternent,**
avec des différences de température
de plusieurs dizaines de degrés.
La **nature,** soumise à ce cycle, **s'y adapte :**
Les **plantes** ont besoin de **l'énergie** solaire pour **vivre**
et c'est avec les premiers **beaux jours**
qu'elles commencent à pousser et à **fleurir.**
Elles **se développent** ensuite tout au long de l'été et font **mûrir**
leurs fruits et graines pour assurer leur **reproduction;**
puis leur activité ralentit, ou **s'arrête,** durant **l'hiver.**
Quant aux **animaux,** ils **naissent** au **printemps** ou au début
de **l'été** afin qu'il leur reste assez de temps pour **grandir**
et prendre des **forces** avant d'affronter la **période froide.**
C'est ainsi que **tout au long de l'année,** mois après mois,
toutes les composantes de la **nature évoluent,**
modifiant ainsi **l'aspect du paysage** qui nous entoure.

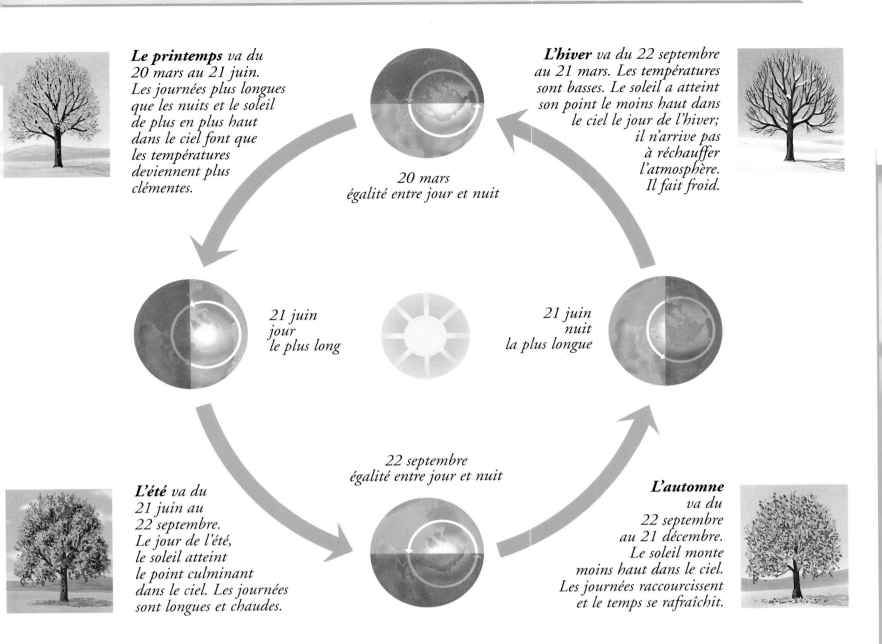

Le printemps va du 20 mars au 21 juin. Les journées plus longues que les nuits et le soleil de plus en plus haut dans le ciel font que les températures deviennent plus clémentes.

L'hiver va du 22 septembre au 21 mars. Les températures sont basses. Le soleil a atteint son point le moins haut dans le ciel le jour de l'hiver; il n'arrive pas à réchauffer l'atmosphère. Il fait froid.

20 mars
égalité entre jour et nuit

21 juin
jour
le plus long

21 juin
nuit
la plus longue

22 septembre
égalité entre jour et nuit

L'été va du 21 juin au 22 septembre. Le jour de l'été, le soleil atteint le point culminant dans le ciel. Les journées sont longues et chaudes.

L'automne va du 22 septembre au 21 décembre. Le soleil monte moins haut dans le ciel. Les journées raccourcissent et le temps se rafraîchit.

La **position de la terre** dans sa course autour du soleil et l'**intensité de l'ensoleillement** sont à **l'origine des saisons.**

En été, le soleil est haut dans le ciel, la course de ses rayons à travers l'atmosphère est courte, et ceux-ci, peu atténués, gardent toute leur puissance.

En hiver, le soleil reste bas dans le ciel. Les rayons pénètrent la couche atmosphérique dans un angle qui leur fait faire un parcours plus long, ce qui diminue leur force.

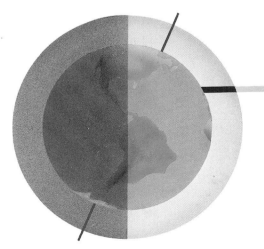

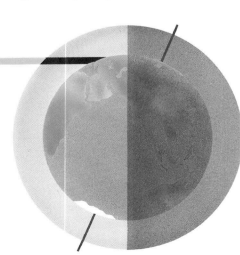

L'hiver est une période très difficile pour les oiseaux. Lorsque la nourriture se fait rare, les petits fruits restés sur les arbustes, ainsi que les quelques graines de fleurs comme ceux de la berce, sont des mets appréciables.

Rouge-gorge familier

Mésange charbonnière

2   **Les cristaux de neige**
Lorsqu'il gèle, les petites gouttelettes contenues dans les nuages se transforment en cristaux de glace, qui, en se collant les uns aux autres, forment les flocons de neige.

1   Pour lutter contre le froid, les oiseaux gonflent leurs plumes, retenant ainsi une couche d'air qui les protège.

Grive draine

4   **Le papillon citron** passe l'hiver en léthargie, caché dans un trou d'arbre, dans une cavité d'un rocher ou tout simplement à l'abri d'une feuille morte.

3   **Les grives** appartiennent à la même famille que les merles : celle des turdidés. Elles font partie du paysage hivernal. Rassemblées en troupes, elles se nourrissent de baies. La grive draine apprécie tout particulièrement celles du gui, favorisant ainsi sa dissémination.

Grive litorne

5   a pâquerette, u petite arguerite, ous est très milière. lle fait partie s végétaux i fleurissent ut au long l'année.

6   **Le renard,** comme bon nombre de mammifères, revêt à l'approche de l'hiver un pelage beaucoup plus épais, qui l'aide à mieux affronter le froid.

14 JANVIER

L'année commence généralement dans le **froid.** Il gèle.
Les plans d'eau sont **pris par la glace,**
à l'exception des ruisseaux et des rivières,
où le mouvement de l'eau empêche sa formation.
La neige tombe et se maintient sur le sol froid.
Elle donne d'abord aux champs des **couleurs laiteuses**
puis tout devient **blanc.**
Alors que les **animaux** ont besoin d'un maximum d'énergie
pour **lutter contre le froid,**
le **gel** rend la collecte des **aliments, déjà rares,**
encore plus difficile.

Le panier du jardinier

*On récolte toujours : choux de Bruxelles -
choux d'hiver - mâche - poireaux d'hiver -
scorsonères.*

Lapin · Renard · Hermine

1 La ...ture neigeuse de l... pagne donne une ... occasion pour exc... les traces d'animaux. ... facilement ...ables sont celles ...n et du lièvre, ... fait que ...tes antérieures ...térieures ...issent pas ...êmes ...reintes.

2 **La pie bavarde** ne passe pas inaperçue avec son beau plumage noir et blanc aux reflets bleu métallique, qui se détache bien sur la neige. Pendant l'hiver, elle aime se déplacer en bande.

On peut aider les oiseaux à passer l'hiver en installant des mangeoires. Un filet rempli de cacahuètes (nature, sans sel!) fera le régal des mésanges.

Hermine

3 **L'hermine** et sa cousine la belette sont les deux plus petits carnivores de nos régions. Hormis leur taille, c'est le bout noir de la queue de l'hermine qui les différencient, surtout en hiver, lorsque les deux arborent un pelage tout blanc.

Belette

4 Les oiseaux de la famille des fringillidés, dont font partie les pinsons, sont granivores. Ceci facilite leur survie en hiver, à condition qu'une couche de neige trop épaisse ne leur rende l'accès à la nourriture impossible.

5 Bruant jaune

Verdier · Pinson du Nord · Bouvreuil pivoine

Pour pouvoir aller à la recherche de la nourriture, malgré le manteau neigeux qui couvre le sol, le campagnol des champs creuse des galeries sous la neige.

17 Février

12 heures

Température : -8 °C

Jour/Nuit

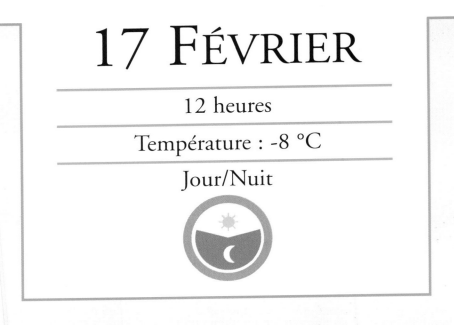

La neige transforme totalement l'aspect de la campagne
Elle absorbe les aspérités du relief et donne au paysage
des **lignes très douces.** Tout ce qui n'est pas recouvert
se détache du fond blanc en créant **de forts contrastes.**
Le manteau neigeux **ne gèle pas la terre,** comme on pourra
le croire : il agit en tant qu'**isolant** contre les **très grands froi**
et maintient **au sol** une température **à peine inférieure à zér**
La neige crée un obstacle supplémentaire
à l'alimentation des **animaux.** Certains, **trop faibles,**
ne survivront pas aux rigueurs de l'hiver.

Le panier du jardinier

On récolte toute l'année : choux de Bruxelles -
choux d'hiver - mâche - poireaux d'hiver -
scorsonères.
Lorsqu'il y a pénurie de légumes,
on apprécie les conserves faites en période d'abondance.

1

Le prunellier, ou épine noire, est le premier arbuste à fleurir, avant même que ses feuilles n'éclosent.

4

Le hérisson fait partie des mammifères qui hibernent. Sorti de son sommeil, il part à la recherche d'une femelle, qui, après une gestation de 40 jours, mettra au monde quatre ou cinq petits, dont les piquants n'apparaîtront qu'après la naissance.

Chêne   Frêne   Noyer   Tilleul   Peuplier

La position des bourgeons sur les rameaux, leur nombre, leur couleur et leur aspect sont autant d'indications servant à identifier une espèce d'arbre ou d'arbuste.

2

Le saule marsault est bien connu pour ses chatons doux et soyeux. Cependant plusieurs pays en interdisent la cueillette, puisque la floraison précoce de ce saule procure de la nourriture aux abeilles, à une période où il n'y a encore que peu de fleurs.

3

La primevère, communément appelée coucou, est une des premières fleurs de l'année. D'où l'origine de son nom, qui vient du latin «primulus» : le tout premier et «veris» : printemps.

5

Le citron, qui a passé l'hiver en léthargie caché sous une feuille, s'envole dès que la température ambiante remonte.

6

Le merle noir est un des premiers oiseaux à faire son nid et à pondre. Le mâle est aisément reconnaissable à son plumage noir et à son bec jaune. La femelle a des couleurs plus discrètes tout en ayant la même silhouette.

Les fleurs du mois

Pissenlit   Véronique   Ficaire   Pensée   Violette

7

Le vanneau huppé se rencontre dans les champs et prairies humides, où il construit son nid à même le sol. Lors de la parade nuptiale, il se distingue par son vol acrobatique.

16 Mars

10 heures

Température : 5 °C

Jour/Nuit

Selon le calendrier, **le printemps** commence **le 20 mars.**
A cette date, le **jour** et la **nuit** auront la **même durée.**
Après le long sommeil hivernal, **la nature se réveille.**
La **sève** recommence à **monter** dans les branches
des **arbres** et des **arbustes;** elle fait gonfler les bourgeons.
Les **premières fleurs** apparaissent sur les haies et dans les prés.
Les champs cultivés verdissent : les plants du **blé**
et du **colza** d'hiver ont **repris leur croissance.**
Le temps est très variable.
Pluie et soleil alternent, ce sont les **giboulées de mars.**
Sous l'effet des pluies et de la fonte des neiges,
il arrive que les **ruisseaux** et les rivières **quittent leur lit.**

Le panier du jardinier

On récolte : brocolis - épinards.
Et toujours : choux de Bruxelles - mâche -
poireaux d'hiver - scorsonères.

1

Fleur du pommier

1

Fleurs du cerisier

Chaque espèce d'oiseau a sa propre technique pour construire son nid. Il existe donc une très grande diversité de formes et de matériaux utilisés. La nature des prédateurs et l'environnement déterminent le choix de l'emplacement.

2 **Le tarier pâtre** installe son nid à même le sol, caché sous un buisson ou une grosse touffe d'herbe.

3 **La fauvette à tête noire** choisit un roncier ou un arbuste.

4 **Le pinson des arbres** construit un nid très élaboré, calé à la fourche d'une grosse branche d'arbre, à une hauteur de 3 à 8 mètres.

5 **L'hirondelle rustique**
Toutes les hirondelles sont des oiseaux migrateurs. Elles quittent nos régions en automne pour passer l'hiver en Afrique, et nous reviennent avec le printemps.

Hirondelle rustique
Hirondelle de fenêtre

Le martinet, qui a l'apparence d'une grande hirondelle ne fait pourtant pas partie de la même famille.

Mâle *Femelle*

Les écailles du bourgeon s'écartent pour donner naissance aux nouvelles feuilles, dont les formes sont très différentes d'un arbre à l'autre.

6 *Tilleul* **7** *Aulne* **8** *Peuplier*

Les fleurs du mois

Myosotis

Herbe-à-Robert

Stellaire holostée

12 *Cardamine des prés* **13** *Lamier pourpre*

9 *Chêne* **11** *Erable champêtre*

10 *Saule blanc*

15 AVRIL

16 heures

Température : 15 °C

Jour/Nuit

La végétation repart. Les feuilles fraîchement écloses
commencent à verdir les arbres. La couleur des **jeunes feuilles**
varie d'une espèce à l'autre, allant du vert presque jaune au roux.
Les arbres fruitiers en fleurs sont **tout blancs.**
En grandissant, le **blé** prend un **vert** plus intense
et le **colza** ouvre ses **premières fleurs.**
Les **oiseaux migrateurs** commencent à revenir.
Parmi eux, les **hirondelles.**
Les **températures** sont de plus en plus **clémentes,**
mais des **chutes en dessous de zéro** sont toujours à craindre.
Elles peuvent faire **geler les fleurs** des arbres fruitiers
et compromettre la future récolte.

Le panier du jardinier

On récolte : laitue - oignons blancs - radis.
Et toujours : brocolis - choux de Bruxelles - épinards.

17 Mai

9 heures

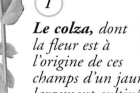

(1) Le colza, dont la fleur est à l'origine de ces champs d'un jaune vif et lumineux, est très largement cultivé pour ses graines oléagineuses.

(2) Les tiges du **blé** se sont multipliées à partir de la première pousse. Une seule graine va donner plusieurs épis.

(3) L'abeille est l'un des principaux insectes pollinisateurs. Lorsqu'elle rentre dans la fleur pour y récolter le nectar, un peu de pollen se dépose sur elle. En allant ainsi de fleur en fleur, ce pollen entre en contact avec le stigmate d'une autre fleur et il y a fécondation.

Abeille

Bourdon

(4) Le bourdon pollinise les fleurs de la même manière, ce qui n'est pas le cas ni pour la guêpe ni pour le frelon.

Guêpe

Frelon

(5) L'aubépine, ou épine-blanche, constitue une barrière infranchissable pour le bétail : comme celles du prunellier, ses branches sont pourvues d'épines acérées.

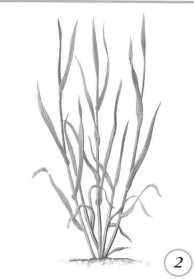

(6) Le hanneton est un grand dévoreur de jeunes feuilles et sa larve, le ver blanc, provoque de gros dégâts aux cultures. L'emploi généralisé d'insecticides l'a fait disparaître de beaucoup de régions.

(7) La huppe fasciée ne se rencontre dans nos régions qu'entre avril et septembre. C'est son cri caractéristique, un «hou-pou-pou» profond, qui lui a valu son nom latin : «upupa». Sa coloration, sa crête de plumes et son long bec incurvé font qu'elle ressemble à un oiseau exotique.

(8) Le loriot d'Europe est un oiseau migrateur, comme la huppe fasciée. Il quitte l'Afrique australe pour venir pondre et passer l'été dans nos régions.

(9) Le chardonneret mérite bien le qualificatif d'«élégant». C'est l'un des oiseaux les plus colorés de nos campagnes.

Les fleurs du mois

(10) Bouton d'or

Silène enflé

Lotier corniculé

Vipérine

(11) Géranium mou

(12) A l'approche de leurs parents, les oisillons quémandent leur nourriture en piaillant, le bec grand ouvert. Le rouge du gosier stimule l'instinct de nourrissage. Des marques brillantes, différentes d'une espèce à l'autre, aident les parents à se repérer.

17 Mai

9 heures

Température : 14 °C

Jour/Nuit

En quelques semaines, les **arbres** ont retrouvé
l'**abondance** de leur **feuillage**.
Dans les prés et le long des chemins,
les **fleurs** attirent **abeilles et bourdons**.
Celles d'**aubépines** blanchissent les **haies**, et celles du **colza**,
par milliers, colorent les champs d'un **jaune éclatant**.
Les **oiseaux nouveau-nés** pépient dans leur nid,
leurs **parents** ne cessent de faire des **allers et retours**
pour les **nourrir** d'insectes et de larves.
Les **journées** se sont nettement **allongées**
et les températures sont en hausse.
De nouveau, il fait **bon vivre dehors**.

Le panier du jardinier

On récolte : asperges - fraises - petits pois.
*Et toujours : brocolis - épinards - laitue -
oignons blancs - radis.*

16 JUIN
19 heures

1. L'églantier
est le plus vigoureux et le plus répandu des rosiers sauvages. Il orne les bords des chemins de ses grandes fleurs roses.

2. La fleur du tilleul
Cueillies au moment de leur épanouissement, puis séchées, on en fait de délicieuses infusions.

3. L'alouette des champs
En chantant, elle s'élève dans les airs, reste immobile haut dans le ciel, à peine visible, avant de plonger jusqu'au ras du sol, d'où elle reprend son vol, toujours en chantant.

4.
Ce que l'on appelle communément «herbe» est composé d'une grande variété de plantes herbacées. Certaines sont considérées comme mauvaises herbes, d'autres sont cultivées pour en faire du foin.

Chiendent   Dactyle   Fléole
Brome   Pâturin

5. La coccinelle
Il existe un grand nombre d'espèces de coccinelles. Celle à sept points est la plus connue et aussi la plus abondante. Un peu plus petite, celle à deux points, peut se présenter avec des dessins très variés.

Les coccinelles dévorent des pucerons en grande quantité; c'est pourquoi on en fait des élevages, afin de les utiliser à la place des insecticides.

Les papillons   Machaon   Vulcain

Robert-le-diable   Souci   Petite tortue

6. La couleuvre à collier   Vipère aspic

Vivant surtout au bord des étangs et des cours d'eau, ce serpent inoffensif se rencontre aussi dans les champs. Il se distingue aisément de la vipère venimeuse par son museau arrondi, sa queue plus effilée et surtout par sa pupille qui est ronde et non pas fendue.

Les fleurs du mois

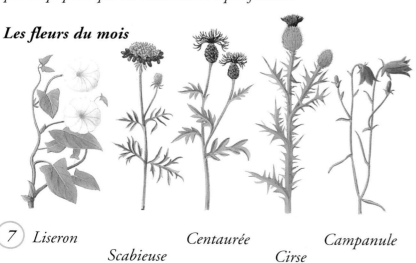

7. Liseron   Scabieuse   Centaurée   Cirse   Campanule

8. Le paon-du-jour
La chenille du paon-du-jour se nourrit principalement de feuilles d'ortie.

A la fin de sa croissance, elle se suspend tête en bas; ensuite sa peau se fend et laisse apparaître la chrysalide, dans laquelle le papillon se développe. Sa métamorphose achevée, le papillon se libère en brisant la coque de la chrysalide.

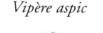

16 Juin

19 heures

Température : 23 °C

Jour/Nuit

Le 21 de ce mois est le **jour le plus long** de l'année,
il marque le **début de l'été.**
Le **beau temps** est souvent au rendez-vous
et les **températures** commencent à être **estivales.**
La floraison terminée, les champs de colza pâlissent,
comme ceux du **blé mûrissant.**
Le paysage est dominé par des **teintes vertes**
sur lesquelles se détache le **jaune paille** des champs d'**orge,**
la céréale qui **mûrit la première.**
Une multitude de **papillons et d'insectes** de toutes les couleurs
se mêlent aux fleurs disséminées dans l'**herbe haute.**

Le panier du jardinier

On récolte : ail - betterave - carottes - cerises -
choux-fleurs de printemps - framboises - navet -
poireaux d'été - pommes de terre nouvelles -
romaine - scarole.
Et toujours : asperges - épinards - fraises - laitue -
oignons blancs - petits pois - radis.

14 JUILLET
17 heures

1 **Les siliques du colza,** *qu'on récolte en juillet, contiennent des petites graines desquelles on extrait une huile alimentaire : l'huile de colza. Les résidus, sous forme de tourteaux, servent de nourriture pour le bétail.*

2 **Le tournesol** *ne tourne pas avec le soleil, mais est toujours dirigé vers la lumière du midi. On le récoltera en septembre, lorsque les fleurs auront produit des graines.*

3 **Le blé tendre,** *une fois moulu, fournit la farine du pain.*

Le seigle *donne une farine panifiable (pain de seigle), mais il est cultivé principalement comme aliment pour les animaux. Sa paille servait dans le temps à couvrir les toits (toits de chaume).*

L'orge *est appelé malt une fois que son grain a germé. C'est l'un des ingrédients de base pour la fabrication du whisky et de certaines bières.*

L'avoine *est l'aliment traditionnel des chevaux. L'homme la consomme sous forme de petits déjeuners céréaliers ou de bouillies (porridge).*

Le blé dur *sert à la fabrication de la semoule et des pâtes alimentaires.*

4 **Le lézard agile** *ainsi que le lézard des murailles adorent se chauffer au soleil. L'orvet n'est pas un serpent, mais bien un lézard... sans pattes.*

Orvet

Lézard des murailles

5

Les sauterelles *produisent leur chant en frottant une partie du corps contre une autre. La patte arrière contre l'aile lorsqu'il s'agit de sauterelles à antennes courtes (criquets) et aile contre aile pour celles à antennes longues et les grillons.*

Grande verte

Sauterelle brune

Œdipode

Sautriau

Grillon

6 **Les ombellifères** *Attention! les ciguës sont extrêmement toxiques, et la berce peut provoquer des réactions allergiques.*

Grande berce

Grande ciguë

Petite ciguë

Boucage saxifrage

Carotte sauvage

14 Juillet

17 heures

Température : 25 °C

Jour/Nuit

Nous sommes au **cœur de l'été.**
Les couleurs jaunes dominent : le colza que l'on récolte,
le **blé mûr,** les milliers de **fleurs de tournesol.**
Le chant strident des **sauterelles** et des **grillons** se répand
comme un bruit de fond dans la **chaleur.**
Le **temps** peut devenir **lourd :** le ciel est envahi rapidement
par de **gros nuages** menaçants. Le vent se lève. **Eclairs, tonnerre,**
suivis de **pluies diluviennes** ou même de grêle : c'est l'**orage.**
Un beau spectacle qui peut s'avérer **dangereux.**
Des **récoltes** entières peuvent être **anéanties**
et les **crues** subites des cours d'eau sont parfois **dévastatrices.**

Le panier du jardinier

On récolte : abricots - bettes - cassis -
choux pommés d'été - choux-raves - cornichons -
courgettes - groseilles - haricots verts - melons -
oignons - pêches - tomates.
Et toujours : betteraves - carottes -
choux-fleurs de printemps - épinards - laitue - navets -
petits pois - poireaux d'été - pommes de terre - radis -
romaine - scarole.

15 Août
20 heures

1 **Le bédéguar** est une boule hirsute qu'on peut voir sur les rosiers sauvages. C'est une gale provoquée par la larve de la guêpe du rosier.

2 **La grenouille rousse** On la voit dans les champs et prairies, se déplaçant par petits bonds. Quand il fait très chaud, elle préfère se rapprocher des lieux plus humides.

4 **L'hirondelle rustique,** très agile, vole à vive allure, changeant brusquement de trajectoire afin de happer les petits insectes dont elle se nourrit.

5 **La chouette chevêche** est un rapace nocturne. C'est au coucher et au lever du jour qu'on peut la voir chasser.

Loir

3 **Le lérot** comme le loir sont des rongeurs. Ce sont des animaux essentiellement nocturnes. Ils s'activent dès le crépuscule pour regagner leur gîte à l'aube.

Les chouettes, comme tous les rapaces diurnes, avalent leur proie sans la dépecer. La pelote rejetée, faite de plumes, poils et ossements non digérés, permet une identification du régime alimentaire de l'oiseau.

Hulotte

Effraie

Chevêche

6 **Les escargots** aiment l'humidité. C'est donc plutôt le soir ou le matin qu'on peut les observer.

7 **La pie-grièche écorcheur** a l'habitude d'empaler ses proies sur des épines ou des fils barbelés.

Escargot des bois

Escargot des haies

Petit-gris

Escargot de Bourgogne

Les fleurs du mois

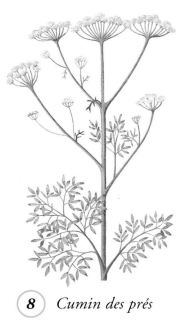

8 Cumin des prés

Chicorée

9 Cardère ou chardon-foulon

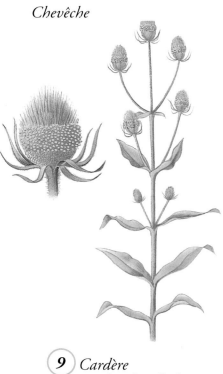

15 Août

20 heures

Température : 28 °C

Jour/Nuit

Les derniers **blés** sont **récoltés** et on rentre les **ballots de paille.**
Les champs de **tournesol** prennent une couleur vert tendre :
les plants se **fanent.** Verts denses, **sols secs :**
ce sont les grandes **chaleurs de l'été.**
Les **fleurs,** au bord des chemins, commencent
à se faire plus **rares.** Mais les **herbes fanées,**
mêlées aux **ombellifères** très **abondantes,**
permettent de confectionner de **jolis bouquets.**
Souvent, la **sécheresse** fait baisser le **niveau de l'eau**
dans les rivières et les étangs, mais elle est d'une **température
agréable,** pour le plus grand plaisir des baigneurs.
Pour beaucoup, le mois d'août est celui des **vacances.**

Le panier du jardinier

On récolte : *aubergines - céleris à côtes - concombres -
haricots grains - mirabelles - poires - reines-claudes.*
Et toujours : *abricots - bettes - betteraves - carottes -
choux pommés d'été - choux-raves - cornichons -
courgettes - épinards - haricots verts - laitue - melons -
navets - oignons - pêches - poireaux d'été -
pommes de terre - radis - romaine - scarole - tomates.*

14 Septembre

8 heures

1 **Colchique d'automne**
Cette fleur frêle et délicate renferme une toxine extrêmement dangereuse. D'où son autre nom : «tue-chien».

2 **Les tournesols** sont récoltés une fois fanés : tous les fleurons du disque se sont transformés en graines, desquelles on extrait une excellente huile de table.

3 **Les toiles d'araignée** se voient particulièrement bien le matin, quand la rosée transforme ses fils en véritables colliers de perles.

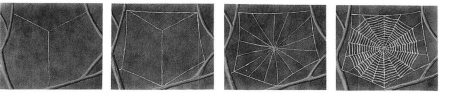

L'épeire diadème tisse une toile qui se distingue par la beauté de sa construction rigoureuse. Ayant bâti un cadre, puis les rayons, elle la termine en disposant un fil en une spirale régulière.

4 **Le faucon crécerelle** fait partie de la famille des rapaces qui, pourvus de griffes puissantes et d'un bec acéré, sont parfaitement adaptés à saisir et dépecer leurs proies. Lorsqu'il chasse, le crécerelle volette sur place en guettant une proie au sol.

5 **Le muscardin,** petit rongeur au poil doré (on l'appelle aussi rat d'or), fait partie de la même famille que le loir et le lérot. Comme ses cousins, il vit essentiellement la nuit et retourne dormir lorsque le jour se lève. Sa nourriture est presque exclusivement d'origine végétale, mais il ne dédaigne pas quelques insectes de temps en temps.

Tous les rapaces pratiquent le vol plané. Leur identification se fait alors en fonction de leur silhouette.

6 Buse variable

Autour des palombes

Milan noir

Epervier

Faucon

Perdrix grise

Perdrix rouge

7 **La mûre** est le fruit de la ronce, qui est un arbuste aux longs rameaux épineux.

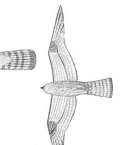

9 **Le rosé-des-prés**

10 **Le faux-mousseron**
Ces deux champignons comestibles poussent dans l'herbe. Le rosé-des-prés est très recherché. Le faux-mousseron, ou mousseron d'automne, est souvent groupé en files ou en ronds de sorcière.

8 **La perdrix grise** adore fourrager dans les haies à la recherche de nourriture. Plus méridionale, la perdrix rouge préfère les terres arides.

14 SEPTEMBRE

8 heures

Température : 11 °C

Jour/Nuit

L'été va vers sa **fin.** Quelques **feuilles jaunes** par-ci, par-là annoncent l'approche de l'**automne,** qui débutera le **22 du mois.** Pour la deuxième fois de l'année, le **jour** et la **nuit** auront la **même durée.** Les **nuits** et les **premières heures** de la matinée peuvent être très **fraîches,** avec des **brouillards,** mais les journées sont souvent **encore bien estivales.** Avec le **tournesol,** les **récoltes** se terminent, et on commence à préparer les **champs** pour les **futurs semis.** Cette **terre nue** et une **végétation fatiguée** donnent au paysage des **teintes** plus **estompées.** Les **petits fruits** qui ont rougi dans les haies ajoutent quelques touches de **couleurs vives.**

Le panier du jardinier

On récolte : fenouils - poireaux d'hiver - pommes - quetsches - raisin.
Et toujours : aubergines - bettes - betteraves - carottes - céleris à côtes - choux pommés d'été - choux-raves - concombres - courgettes - épinards - haricots grains - haricots verts - laitue - melons - navets - oignons - poires - pommes de terre - radis - romaine - scarole - tomates.

① Noix

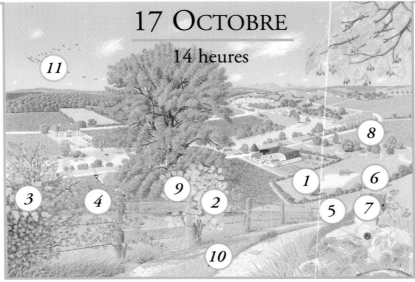

⑪ ⑧ ⑨ ③ ④ ② ① ⑥ ⑤ ⑦ ⑩

A l'approche de l'hiver, les animaux se gavent de fruits, baies et noix, abondants en cette saison. Ils se préparent ainsi à affronter les mois où la nourriture se fait plus rare.

② Noisette

⑥ Erable champêtre

La couleur verte des feuilles est due au pigment de la chlorophylle. En automne, celle-ci se dégrade, faisant place aux pigments secondaires qui, allant du jaune au pourpre, donnent aux feuilles leur coloration éclatante.

③ Aubépine

④ Cynorhodon de l'églantier

⑤ Prunelle

⑦ **La fouine** *fréquente les bocages, les bosquets et les terrains rocheux. Elle s'introduit aussi dans les habitations, où elle peut faire des dégâts considérables.*

⑧ **L'étourneau sansonnet** *se regroupe par centaines, sinon milliers, formant ainsi une nuée qui tournoie dans le ciel en changeant brusquement de direction, avant de s'abattre dans les champs.*

⑨ **L'écureuil roux** *adore les noisettes. Pour se constituer une réserve pour l'hiver, il les cueille en nombre et les entrepose dans de multiples cachettes.*

Alisier

⑩ **La taupe** *est à l'origine de ces monticules de terre qu'on remarque dans les prés. Cette terre provient des galeries que creuse ce petit mammifère à l'aide de ses puissantes pattes antérieures. Vivant dans l'obscurité totale, ne sortant qu'exceptionnellement à la surface, son odorat et son toucher sont extrêmement bien développés, ce qui lui permet de repérer les larves d'insectes et les vers de terre dont elle se nourrit.*

⑪ **La grue cendrée** *migre du nord vers le sud, au début de l'automne. Elles volent groupées en formation de «V». L'oiseau de tête est régulièrement relayé, afin que l'effort fourni soit équitablement partagé.*

17 OCTOBRE

14 heures

Température : 13 °C

Jour/Nuit

Une fois encore, l'aspect du paysage se transforme totalement.
Le feuillage des **arbres** et des **arbustes** change de **couleur.**
Les verts un peu ternes de la fin de l'été ont fait place
à des **jaunes, rouges** et **ocres** lumineux. A cette **féerie
de couleurs** chaudes s'ajoutent les **bruns** des **terres nues.**
Certaines **journées** sont **encore douces**
mais le **thermomètre** est nettement **à la baisse.**
Les derniers **oiseaux migrateurs** s'envolent **vers le sud**
pour **passer l'hiver** sous des climats plus chauds.

Le panier du jardinier

On récolte : *cardons - céleris-raves - choux de Bruxelles -
choux-fleurs d'automne - mâche - noix - scorsonères.*
Et toujours : *bettes - betteraves - carottes -
céleris à côtes - choux pommés d'été - choux-raves -
concombres - courgettes - épinards - fenouils -
haricots grains - haricots verts - laitue - poires -
poireaux d'hiver - pommes - radis - raisin - tomates.*

1

Gland du chêne pédonculé

2 Fruits du tilleul

3 **Le geai des chênes** tient son nom du fait qu'il contribue à la dissémination des chênes. Il entasse des glands dans son gosier, s'envole les enfouir un peu partout et se constitue ainsi un garde-manger pour l'hiver. Hélas! il ne retrouve pas toujours toutes ses cachettes. Les glands ainsi oubliés vont se mettre à germer et donner naissance à un nouvel arbre.

Samare de l'orme

Certains arbres utilisent le vent pour disséminer leurs graines. Entourées d'une membrane ou pourvues d'ailettes, elles sont emportées par le vent, souvent très loin de l'arbre sur lequel elles ont poussé.

Akène du charme

Samare du frêne

Corneille noire

4 **Les corbeaux freux** se regroupent en colonies et investissent les cimes des grands arbres dans un beau vacarme. C'est aussi en groupe qu'ils fouillent la terre fraîchement retournée lors des labours, à la recherche de vers de terre. La corneille noire s'associe souvent aux freux. On les différencie de ces derniers par l'absence de la tâche blanchâtre à la base du bec et par les plumes lâches à la naissance des pattes.

5 Samare de l'érable champêtre

Corbeau freux

6 **Une couche de liège** se forme à la base des feuilles vieillissantes. Celles-ci meurent et tombent, laissant ainsi la place au bourgeon qui, au printemps prochain, donnera naissance à une nouvelle feuille.

7 **Le faisan** est originaire du Caucase. Introduit en Europe occidentale par les Romains, c'est un gibier très apprécié. Le faisan qu'on croise dans la nature n'est pas toujours sauvage. Un grand nombre de ces oiseaux proviennent d'élevages et sont relâchés pour la chasse.

Avec les premiers froids, le muscardin, le lérot et le loir vont se retirer dans un trou d'arbre, une cavité rocheuse ou un terrier pour y passer les mois d'hiver, plongés dans un sommeil profond. Ils vont hiberner. Auparavant ils se sont gavés de nourriture, se constituant ainsi une réserve de graisse pour survivre sans s'alimenter.

16 NOVEMBRE

11 heures

Température : 6 °C

Jour/Nuit

Pluies, brumes et **coups de vent dominent** ce mois.
Le froid s'installe. Les dernières **feuilles** sont **arrachées**
des arbres. Tombées **sur le sol,** elles se **décomposent**
grâce à l'action des **bactéries** et d'autres micro-organismes.
Les **végétaux** se **nourriront** à nouveau
de ces **éléments minéraux** retournés à la terre.
Les **graines disséminées** par le **vent** ou par les **animaux**
se conservent en attendant le **printemps prochain**
où ils **germeront** pour donner **naissance** à de nouvelles **plantes.**

Le panier du jardinier

On récolte : choux d'hiver.
Et toujours : betteraves - cardons - carottes -
céleris à côtes - céleris-raves - choux de Bruxelles -
choux-fleurs d'automne - épinards - laitue - mâche -
navets - poires - poireaux d'hiver - pommes -
radis - scorsonères.

1 Les graines du **colza d'hiver**, semées fin août-début septembre, ont développé des petites feuilles qui vont persister tout au long de l'hiver pour reprendre leur croissance au printemps.

2 Les petits plants du **blé d'hiver** font ressembler les champs à d'immenses gazons. Ils resteront à cette taille pendant la saison froide, reprenant leur développement au printemps.

3 **Le gui** devient bien visible lorsque les feuilles des arbres sont tombées. Cet arbuste parasite, vert toute l'année, pousse sur les branches de certains arbres au bois tendre, comme les peupliers, en se nourrissant de la sève de son hôte.

4 **Les fleurs mâles du noisetier** commencent à se développer en été et restent tout l'hiver sur l'arbre. C'est en février que les chatons s'ouvriront et, en lâchant leur pollen, féconderont ainsi les fleurs femelles qui auront poussé au bout des bourgeons.

5 **Les moineaux domestiques** se déplacent souvent par petites bandes.

6 **Le lièvre** est le champion de la course à pied! Poursuivi, il peut maintenir la vitesse de 50 km/h sur plusieurs kilomètres. Il vit de façon solitaire. Un simple creux aménagé dans un sillon ou dans des feuilles mortes lui suffit comme gîte. Le lapin de garenne, en revanche, vit en colonie, dans des terriers aux galeries ramifiées.

Lapin de garenne

7 Il n'y a pas de saison sans floraison; Des petites taches de couleur çà et là témoignent qu'il y a des fleurs qui résistent à la rigueur de l'hiver.

Laiteron âpre   Moutarde des champs   Séneçon commun

Dépouillés de leurs feuilles, les arbres révèlent leur structure et la forme de leurs branches.

Peuplier noir   Saule blanc   Aulne   Frêne   Erable champêtre   Tilleul

15 DÉCEMBRE

13 heures

Température : 5 °C

Jour/Nuit

Les **journées raccourcissent** encore jusqu'au 21 du mois.
C'est avec le jour le plus court que **débute l'hiver.**
La **nature** est au **repos.** Les **arbres** et **arbustes** sont **dépouillés**
de leurs **feuilles** et la **sève** n'y **circule** pour ainsi dire **plus,**
ce qui leur permet d'**affronter le gel** sans dégâts.
Malgré le temps peu clément, on trouve encore
quelques **fleurs par-ci, par-là.**
La **nourriture** des animaux se fait plus **rare**
que pendant les beaux jours.
Mais tant qu'il ne gèle ou ne neige pas,
ils **trouvent** toujours de quoi **manger.**

Le panier du jardinier

*On récolte toujours : céleris à côtes - céleris-raves -
choux de Bruxelles - choux d'hiver - épinards -
mâche - poireaux d'hiver - scorsonères.*

La nature

14 Janvier
15 heures

17 Février
12 heures

17 Mai
9 heures

16 Juin
19 heures

14 Septembre
8 heures

17 Octobre
14 heures

16 MARS
10 heures

15 AVRIL
16 heures

14 JUILLET
17 heures

15 AOÛT
20 heures

16 NOVEMBRE
11 heures

15 DÉCEMBRE
13 heures

INDEX

O

Œdipode :   juillet
Ombellifères :   juillet
Orge :   juillet
Orme (samare) :   novembre
Orvet :   juillet

L

Laiteron âpre :   décembre
Lamier pourpre :   avril
Lapin de garenne :   décembre
Lérot :   août - novembre
Lézard agile :   juillet
Lézard des murailles :   juillet
Lièvre :   décembre
Liseron :   juin
Loir :   août - novembre
Loriot d'Europe :   mai
Lotier corniculé :   mai

P

Paon-du-jour :   juin
Pâquerette :   janvier
Pâturin :   juin
Pelotes de chouettes :   août
Pensée :   mars
Perdrix grise :   septembre
Perdrix rouge :   septembre
Petit-gris :   août
Petite tortue :   juin
Peuplier noir :   décembre
Peuplier (bourgeons) :   mars
Peuplier (feuille) :   avril
Pie bavarde :   février
Pie-grièche écorcheur :   août
Pinson des arbres :   avril
Pinson du nord :   février
Pissenlit :   mars
Pommier (fleur) :   avril
Primevère :   mars
Prunelle :   octobre
Prunellier :   mars

S

Saule blanc :   décembre
Saule blanc (feuille) :   avril
Saule marsault (chatons) :   mars
Sauterelle brune :   juillet
Sauterelle verte (grande) :   juillet
Sautriau :   juillet
Scabieuse :   juin
Seigle :   juillet
Séneçon commun :   décembre
Silène enflé :   mai
Souci :   juin
Stellaire holostée :   avril

M

Machaon :   juin
Martinet :   avril
Merle noir :   mars
Mésange charbonnière :   janvier
Milan noir :   septembre
Moineau domestique :   décembre
Moutarde des champs :   décembre
Mûre :   septembre
Muscardin :   septembre - novembre
Myosotis :   avril

T

Tarier pâtre :   avril
Taupe :   octobre
Tilleul :   décembre
Tilleul (bourgeons) :   mars
Tilleul (feuille) :   avril
Tilleul (fleur) :   juin
Tilleul (fruit) :   novembre
Toile d'araignée :   septembre
Tournesol :   juillet - septembre

R

Renard :   janvier
Robert-le-diable :   juin
Rosé-des-prés :   septembre
Rouge-gorge :   janvier

N

Noisetier :   décembre
Noisette :   octobre
Noix :   octobre
Noyer (bourgeons) :   mars

V

Vanneau huppé :   mars
Verdier :   février
Véronique :   mars
Violette :   mars
Vipère aspic :   juin
Vipérine :   mai
Vulcain :   juin